The Far Side

1997 DESK Calendar

by

GARY LARSON

Andrews and McMeel
A Universal Press Syndicate Company
Kansas City

The Far Side is distributed internationally by Universal Press Syndicate.

ISBN: 0-8362-1536-2

Printed on recycled paper (30% preconsumer content, 20% postconsumer content).

JANUARY 1997

NOTES

Sunday	Monday	Tuesday	Wednesday	Thursday	Friday	Saturday
29 December	30	31	1 NEW YEAR'S DAY	2	3	4
5	6	7	8	9	10	11
12	13	14	15	16	17	18
19	20 MARTIN LUTHER KING JR.'S BIRTHDAY (OBSERVED)	21	22	23	24	25
26	27	28	29	30	31	1 February

FEBRUARY 1997

NOTES

Sunday	Monday	Tuesday	Wednesday	Thursday	Friday	Saturday
26 January	27	28	29	30	31	1
2 GROUNDHOG DAY	3	4	5	6	7	8
9	10	11	12 ASH WEDNESDAY	13	14 VALENTINE'S DAY	15
16	17 PRESIDENTS' DAY	18	19	20	21	22
23	24	25	26	27	28	1 March

MARCH 1997

NOTES

Sunday	Monday	Tuesday	Wednesday	Thursday	Friday	Saturday
23 February	24	25	26	27	28	1
2	3	4	5	6	7	8
9	10	11	12	13	14	15
16	17 ST. PATRICK'S DAY	18	19	20	21	22
23 PALM SUNDAY PURIM / 30 EASTER	24 / 31 EASTER MONDAY (CANADA)	25	26	27	28 GOOD FRIDAY	29

April 1997

NOTES

Sunday	Monday	Tuesday	Wednesday	Thursday	Friday	Saturday
30 March	31	1	2	3	4	5
6	7	8	9	10	11	12
13	14	15	16	17	18	19
20	21	22 PASSOVER	23	24	25	26
27	28	29	30	1 May	2	3

MAY 1997

NOTES

Sunday	Monday	Tuesday	Wednesday	Thursday	Friday	Saturday
27 April	28	29	30	1	2	3
4	5	6	7	8	9	10
11 MOTHER'S DAY	12	13	14	15	16	17 ARMED FORCES DAY
18	19 VICTORIA DAY (CANADA)	20	21	22	23	24
25	26 MEMORIAL DAY	27	28	29	30	31

JUNE 1997

NOTES

Sunday	Monday	Tuesday	Wednesday	Thursday	Friday	Saturday
1	2	3	4	5	6	7
8	9	10	11	12	13	14 FLAG DAY
15 FATHER'S DAY	16	17	18	19	20	21
22	23	24	25	26	27	28
29	30	1 July	2	3	4	5

July 1997

NOTES

Sunday	Monday	Tuesday	Wednesday	Thursday	Friday	Saturday
29 June	30	1 CANADA DAY	2	3	4 INDEPENDENCE DAY	5
6	7	8	9	10	11	12
13	14	15	16	17	18	19
20	21	22	23	24	25	26
27	28	29	30	31	1 August	2

August 1997

NOTES

Sunday	Monday	Tuesday	Wednesday	Thursday	Friday	Saturday
27 July	28	29	30	31	1	2
3	4	5	6	7	8	9
10	11	12	13	14	15	16
17	18	19	20	21	22	23
24 / 31	25	26	27	28	29	30

SEPTEMBER 1997

NOTES

Sunday	Monday	Tuesday	Wednesday	Thursday	Friday	Saturday
31 August	1 LABOR DAY	2	3	4	5	6
7	8	9	10	11	12	13
14	15	16	17	18	19	20
21	22	23	24	25	26	27
28	29	30	1 October	2	3	4

OCTOBER 1997

NOTES

Sunday	Monday	Tuesday	Wednesday	Thursday	Friday	Saturday
28 September	29	30	1	2 ROSH HASHANAH	3	4
5	6	7	8	9	10	11 YOM KIPPUR
12	13 COLUMBUS DAY CANADIAN THANKSGIVING	14	15	16	17	18
19	20	21	22	23	24	25
26	27	28	29	30	31 HALLOWEEN	1 November

NOVEMBER 1997

NOTES

Sunday	Monday	Tuesday	Wednesday	Thursday	Friday	Saturday
26 October	27	28	29	30	31	1
2	3	4 ELECTION DAY	5	6	7	8
9	10	11 VETERANS' DAY REMEMBRANCE DAY (CANADA)	12	13	14	15
16	17	18	19	20	21	22
23 / 30	24	25	26	27 THANKSGIVING	28	29

DECEMBER 1997

NOTES

Sunday	Monday	Tuesday	Wednesday	Thursday	Friday	Saturday
30 November	1	2	3	4	5	6
7	8	9	10	11	12	13
14	15	16	17	18	19	20
21	22	23	24 HANUKKAH	25 CHRISTMAS	26 BOXING DAY (CANADA)	27
28	29	30	31	1 January	2	3

NOTES

The party-goers were enjoying themselves immensely—unaware that, across the street in the shadows, a killer waited.

DEC/JAN 1996

S	M	T	W	T	F	S
1	2	3	4	5	6	7
8	9	10	11	12	13	14
15	16	17	18	19	20	21
22	23	24	25	26	27	28
29	30	31				

Monday
30

Tuesday
31

Wednesday
1

NEW YEAR'S DAY

Thursday
2

Friday
3

Saturday
4

Sunday
5

November

S	M	T	W	T	F	S
					1	2
3	4	5	6	7	8	9
10	11	12	13	14	15	16
17	18	19	20	21	22	23
24	25	26	27	28	29	30

January

S	M	T	W	T	F	S
			1	2	3	4
5	6	7	8	9	10	11
12	13	14	15	16	17	18
19	20	21	22	23	24	25
26	27	28	29	30	31	

NOTES

Larson
Christians vs. Lions Sign-up sheet
Christians vs. Lions sign-up shee

JANUARY 1997

S	M	T	W	T	F	S
			1	2	3	4
5	6	7	8	9	10	11
12	13	14	15	16	17	18
19	20	21	22	23	24	25
26	27	28	29	30	31	

Monday

6

Tuesday

7

Wednesday

8

Thursday

9

Friday

10

Saturday

11

Sunday

12

December

S	M	T	W	T	F	S
1	2	3	4	5	6	7
8	9	10	11	12	13	14
15	16	17	18	19	20	21
22	23	24	25	26	27	28
29	30	31				

February

S	M	T	W	T	F	S
						1
2	3	4	5	6	7	8
9	10	11	12	13	14	15
16	17	18	19	20	21	22
23	24	25	26	27	28	

NOTES

"So when Farmer Bob comes through the door, three of us circle around and ... Muriel! Are you chewing your cud while I'm talking?"

JANUARY 1997

S	M	T	W	T	F	S
			1	2	3	4
5	6	7	8	9	10	11
12	13	14	15	16	17	18
19	20	21	22	23	24	25
26	27	28	29	30	31	

Monday

13

Tuesday

14

Wednesday

15

Thursday

16

Friday

17

Saturday

18

Sunday

19

December

S	M	T	W	T	F	S
1	2	3	4	5	6	7
8	9	10	11	12	13	14
15	16	17	18	19	20	21
22	23	24	25	26	27	28
29	30	31				

February

S	M	T	W	T	F	S
						1
2	3	4	5	6	7	8
9	10	11	12	13	14	15
16	17	18	19	20	21	22
23	24	25	26	27	28	

NOTES

"Well, I'm not sure. ... You don't carry any other styles?"

JANUARY 1997

S	M	T	W	T	F	S
			1	2	3	4
5	6	7	8	9	10	11
12	13	14	15	16	17	18
19	20	21	22	23	24	25
26	27	28	29	30	31	

Monday

20

MARTIN LUTHER
KING JR.'S BIRTHDAY
(OBSERVED)

Tuesday

21

Wednesday

22

Thursday

23

Friday

24

Saturday

25

Sunday

26

December

S	M	T	W	T	F	S
1	2	3	4	5	6	7
8	9	10	11	12	13	14
15	16	17	18	19	20	21
22	23	24	25	26	27	28
29	30	31				

February

S	M	T	W	T	F	S
						1
2	3	4	5	6	7	8
9	10	11	12	13	14	15
16	17	18	19	20	21	22
23	24	25	26	27	28	

NOTES

"Randy's goin' down!"

JAN/FEB 1997

S	M	T	W	T	F	S
			1	2	3	4
5	6	7	8	9	10	11
12	13	14	15	16	17	18
19	20	21	22	23	24	25
26	27	28	29	30	31	

Monday

27

Tuesday

28

Wednesday

29

Thursday

30

Friday

31

Saturday

1

Sunday

2

GROUNDHOG DAY

December

S	M	T	W	T	F	S
1	2	3	4	5	6	7
8	9	10	11	12	13	14
15	16	17	18	19	20	21
22	23	24	25	26	27	28
29	30	31				

February

S	M	T	W	T	F	S
						1
2	3	4	5	6	7	8
9	10	11	12	13	14	15
16	17	18	19	20	21	22
23	24	25	26	27	28	

NOTES

"Bob! Wake up! Bob! A ship! I think I see a ship! ...
Where are your glasses?"

FEBRUARY 1997

S	M	T	W	T	F	S
						1
2	3	4	5	6	7	8
9	10	11	12	13	14	15
16	17	18	19	20	21	22
23	24	25	26	27	28	

Monday

3

Tuesday

4

Wednesday

5

Thursday

6

Friday

7

Saturday

8

Sunday

9

January

S	M	T	W	T	F	S
			1	2	3	4
5	6	7	8	9	10	11
12	13	14	15	16	17	18
19	20	21	22	23	24	25
26	27	28	29	30	31	

March

S	M	T	W	T	F	S
						1
2	3	4	5	6	7	8
9	10	11	12	13	14	15
16	17	18	19	20	21	22
23	24	25	26	27	28	29
30	31					

NOTES

FEBRUARY 1997

S	M	T	W	T	F	S
						1
2	3	4	5	6	7	8
9	10	11	12	13	14	15
16	17	18	19	20	21	22
23	24	25	26	27	28	

Monday

10

Tuesday

11

Wednesday

12

ASH WEDNESDAY

Thursday

13

Friday

14

VALENTINE'S DAY

Saturday

15

Sunday

16

January

S	M	T	W	T	F	S
			1	2	3	4
5	6	7	8	9	10	11
12	13	14	15	16	17	18
19	20	21	22	23	24	25
26	27	28	29	30	31	

March

S	M	T	W	T	F	S
						1
2	3	4	5	6	7	8
9	10	11	12	13	14	15
16	17	18	19	20	21	22
23	24	25	26	27	28	29
30	31					

NOTES

"Oh my God! It's Leonard! ... He's stuffed himself."

February 1997

S	M	T	W	T	F	S
						1
2	3	4	5	6	7	8
9	10	11	12	13	14	15
16	17	18	19	20	21	22
23	24	25	26	27	28	

Monday

17

PRESIDENTS' DAY

Tuesday

18

Wednesday

19

Thursday

20

Friday

21

Saturday

22

Sunday

23

January

S	M	T	W	T	F	S
			1	2	3	4
5	6	7	8	9	10	11
12	13	14	15	16	17	18
19	20	21	22	23	24	25
26	27	28	29	30	31	

March

S	M	T	W	T	F	S
						1
2	3	4	5	6	7	8
9	10	11	12	13	14	15
16	17	18	19	20	21	22
23	24	25	26	27	28	29
30	31					

NOTES

"Take this handkerchief back to the lab, Stevens. I want some answers on which monster did this—Godzilla? Gargantua? Who?"

FEB/MAR 1997

S	M	T	W	T	F	S
						1
2	3	4	5	6	7	8
9	10	11	12	13	14	15
16	17	18	19	20	21	22
23	24	25	26	27	28	

Monday
24

Tuesday
25

Wednesday
26

Thursday
27

Friday
28

Saturday
1

Sunday
2

January

S	M	T	W	T	F	S
			1	2	3	4
5	6	7	8	9	10	11
12	13	14	15	16	17	18
19	20	21	22	23	24	25
26	27	28	29	30	31	

March

S	M	T	W	T	F	S
						1
2	3	4	5	6	7	8
9	10	11	12	13	14	15
16	17	18	19	20	21	22
23	24	25	26	27	28	29
30	31					

NOTES

"What is this? ... Some kind of cruel hoax?"

March 1997

S	M	T	W	T	F	S
						1
2	3	4	5	6	7	8
9	10	11	12	13	14	15
16	17	18	19	20	21	22
23	24	25	26	27	28	29
30	31					

Monday
3

Tuesday
4

Wednesday
5

Thursday
6

Friday
7

Saturday
8

Sunday
9

February

S	M	T	W	T	F	S
						1
2	3	4	5	6	7	8
9	10	11	12	13	14	15
16	17	18	19	20	21	22
23	24	25	26	27	28	

April

S	M	T	W	T	F	S
		1	2	3	4	5
6	7	8	9	10	11	12
13	14	15	16	17	18	19
20	21	22	23	24	25	26
27	28	29	30			

NOTES

Witch doctor waiting rooms

MARCH 1997

S	M	T	W	T	F	S
						1
2	3	4	5	6	7	8
9	10	11	12	13	14	15
16	17	18	19	20	21	22
23	24	25	26	27	28	29
30	31					

Monday
10

Tuesday
11

Wednesday
12

Thursday
13

Friday
14

Saturday
15

Sunday
16

February

S	M	T	W	T	F	S
						1
2	3	4	5	6	7	8
9	10	11	12	13	14	15
16	17	18	19	20	21	22
23	24	25	26	27	28	

April

S	M	T	W	T	F	S
		1	2	3	4	5
6	7	8	9	10	11	12
13	14	15	16	17	18	19
20	21	22	23	24	25	26
27	28	29	30			

NOTES

"OK, listen up! The cops are closing in on this place, so here's our new hideout: 455 Elm Street. ... Let's all say it together about a hundred times so there'll be no screw-ups."

MARCH 1997

S	M	T	W	T	F	S
						1
2	3	4	5	6	7	8
9	10	11	12	13	14	15
16	17	18	19	20	21	22
23	24	25	26	27	28	29
30	31					

Monday

17

ST. PATRICK'S DAY

Tuesday

18

Wednesday

19

Thursday

20

Friday

21

Saturday

22

Sunday

23

PALM SUNDAY
PURIM

February

S	M	T	W	T	F	S
						1
2	3	4	5	6	7	8
9	10	11	12	13	14	15
16	17	18	19	20	21	22
23	24	25	26	27	28	

April

S	M	T	W	T	F	S
		1	2	3	4	5
6	7	8	9	10	11	12
13	14	15	16	17	18	19
20	21	22	23	24	25	26
27	28	29	30			

NOTES

"Hey! I'm coming, I'm coming—just cross your legs and wait!"

MARCH 1997

S	M	T	W	T	F	S
						1
2	3	4	5	6	7	8
9	10	11	12	13	14	15
16	17	18	19	20	21	22
23	24	25	26	27	28	29
30	31					

Monday

24

Tuesday

25

Wednesday

26

Thursday

27

Friday

28

sick

GOOD FRIDAY

Saturday

29

Sunday

30

EASTER

February

S	M	T	W	T	F	S
						1
2	3	4	5	6	7	8
9	10	11	12	13	14	15
16	17	18	19	20	21	22
23	24	25	26	27	28	

April

S	M	T	W	T	F	S
		1	2	3	4	5
6	7	8	9	10	11	12
13	14	15	16	17	18	19
20	21	22	23	24	25	26
27	28	29	30			

NOTES

"Hey! Look at Red Bear! ... Waiiiiiiiit. ... *That* not real!"

MAR/APR 1997

S	M	T	W	T	F	S
						1
2	3	4	5	6	7	8
9	10	11	12	13	14	15
16	17	18	19	20	21	22
23	24	25	26	27	28	29
30	31					

Monday

31

Jason's Spring Break

EASTER MONDAY
(CANADA)

Tuesday

1

Wednesday

2

Thursday

3

Friday

4

Saturday

5

Sunday

6

February

S	M	T	W	T	F	S
						1
2	3	4	5	6	7	8
9	10	11	12	13	14	15
16	17	18	19	20	21	22
23	24	25	26	27	28	

April

S	M	T	W	T	F	S
		1	2	3	4	5
6	7	8	9	10	11	12
13	14	15	16	17	18	19
20	21	22	23	24	25	26
27	28	29	30			

NOTES

"I'm starting to worry about you, Earl. ... Stalking sheep in that outfit is one thing, but wearing it around the house is just a little kinky."

April 1997

S	M	T	W	T	F	S
		1	2	3	4	5
6	7	8	9	10	11	12
13	14	15	16	17	18	19
20	21	22	23	24	25	26
27	28	29	30			

Monday

7

Tuesday

8 ~~D's due~~

Wednesday

9

Thursday

10

Friday

11

Saturday

12

Sunday

13

March

S	M	T	W	T	F	S
						1
2	3	4	5	6	7	8
9	10	11	12	13	14	15
16	17	18	19	20	21	22
23	24	25	26	27	28	29
30	31					

May

S	M	T	W	T	F	S
				1	2	3
4	5	6	7	8	9	10
11	12	13	14	15	16	17
18	19	20	21	22	23	24
25	26	27	28	29	30	31

NOTES

"Wait a minute, Vince! Last summer—remember?
Some little kid caught you, handled you, and tossed you back
in the swamp. ...*That's* where you got 'em."

April 1997

S	M	T	W	T	F	S
		1	2	3	4	5
6	7	8	9	10	11	12
13	14	15	16	17	18	19
20	21	22	23	24	25	26
27	28	29	30			

Monday

14

Tuesday

15

Wednesday

16

Thursday

17

Friday

18

Saturday

19

Sunday

20

March

S	M	T	W	T	F	S
						1
2	3	4	5	6	7	8
9	10	11	12	13	14	15
16	17	18	19	20	21	22
23	24	25	26	27	28	29
30	31					

May

S	M	T	W	T	F	S
				1	2	3
4	5	6	7	8	9	10
11	12	13	14	15	16	17
18	19	20	21	22	23	24
25	26	27	28	29	30	31

NOTES

Where we get calamari blanc

April 1997

S	M	T	W	T	F	S
		1	2	3	4	5
6	7	8	9	10	11	12
13	14	15	16	17	18	19
20	21	22	23	24	25	26
27	28	29	30			

Monday

21

Tuesday

22

PASSOVER

Wednesday

23

Thursday

24

Friday

25

Saturday

26

Sunday

27

March

S	M	T	W	T	F	S
						1
2	3	4	5	6	7	8
9	10	11	12	13	14	15
16	17	18	19	20	21	22
23	24	25	26	27	28	29
30	31					

May

S	M	T	W	T	F	S
				1	2	3
4	5	6	7	8	9	10
11	12	13	14	15	16	17
18	19	20	21	22	23	24
25	26	27	28	29	30	31

NOTES

That night, their revenge was meted out on both Farmer MacDougal and his wife. The next day, police investigators found a scene that they could describe only as "grisly, yet strangely hilarious."

APR/MAY 1997

S	M	T	W	T	F	S
		1	2	3	4	5
6	7	8	9	10	11	12
13	14	15	16	17	18	19
20	21	22	23	24	25	26
27	28	29	30			

Monday

28

Tuesday

29

Wednesday

30

Thursday

1

Friday

2

Saturday

3

Sunday

4

March

S	M	T	W	T	F	S
						1
2	3	4	5	6	7	8
9	10	11	12	13	14	15
16	17	18	19	20	21	22
23	24	25	26	27	28	29
30	31					

May

S	M	T	W	T	F	S
				1	2	3
4	5	6	7	8	9	10
11	12	13	14	15	16	17
18	19	20	21	22	23	24
25	26	27	28	29	30	31

NOTES

May 1997

S	M	T	W	T	F	S
				1	2	3
4	5	6	7	8	9	10
11	12	13	14	15	16	17
18	19	20	21	22	23	24
25	26	27	28	29	30	31

Monday

5

Tuesday

6

Wednesday

7

Thursday

8

Friday

9

Saturday

10

Sunday

11

MOTHER'S DAY

April

S	M	T	W	T	F	S
		1	2	3	4	5
6	7	8	9	10	11	12
13	14	15	16	17	18	19
20	21	22	23	24	25	26
27	28	29	30			

June

S	M	T	W	T	F	S
1	2	3	4	5	6	7
8	9	10	11	12	13	14
15	16	17	18	19	20	21
22	23	24	25	26	27	28
29	30					

NOTES

"Hey! What's that clown think he's doing?"

MAY 1997

S	M	T	W	T	F	S
				1	2	3
4	5	6	7	8	9	10
11	12	13	14	15	16	17
18	19	20	21	22	23	24
25	26	27	28	29	30	31

Monday

12

Tuesday

13

Wednesday

14

Thursday

15

Friday

16

Saturday

17

ARMED FORCES DAY

Sunday

18

April

S	M	T	W	T	F	S
		1	2	3	4	5
6	7	8	9	10	11	12
13	14	15	16	17	18	19
20	21	22	23	24	25	26
27	28	29	30			

June

S	M	T	W	T	F	S
1	2	3	4	5	6	7
8	9	10	11	12	13	14
15	16	17	18	19	20	21
22	23	24	25	26	27	28
29	30					

NOTES

"OK, here we go again ... one ... two ..."

May 1997

S	M	T	W	T	F	S
				1	2	3
4	5	6	7	8	9	10
11	12	13	14	15	16	17
18	19	20	21	22	23	24
25	26	27	28	29	30	31

Monday

19

VICTORIA DAY (CANADA)

Tuesday

20

Wednesday

21

Thursday

22

Friday

23

Saturday

24

Sunday

25

April

S	M	T	W	T	F	S
		1	2	3	4	5
6	7	8	9	10	11	12
13	14	15	16	17	18	19
20	21	22	23	24	25	26
27	28	29	30			

June

S	M	T	W	T	F	S
1	2	3	4	5	6	7
8	9	10	11	12	13	14
15	16	17	18	19	20	21
22	23	24	25	26	27	28
29	30					

NOTES

“Well, Vern, looks like that buffalo paper you set out this morning is doing the trick.”

MAY/JUNE 1997

S	M	T	W	T	F	S
				1	2	3
4	5	6	7	8	9	10
11	12	13	14	15	16	17
18	19	20	21	22	23	24
25	26	27	28	29	30	31

Monday

26

MEMORIAL DAY

Tuesday

27

Wednesday

28

Thursday

29

Friday

30

Saturday

31

Sunday

1

April

S	M	T	W	T	F	S
		1	2	3	4	5
6	7	8	9	10	11	12
13	14	15	16	17	18	19
20	21	22	23	24	25	26
27	28	29	30			

June

S	M	T	W	T	F	S
1	2	3	4	5	6	7
8	9	10	11	12	13	14
15	16	17	18	19	20	21
22	23	24	25	26	27	28
29	30					

NOTES

"Mmmmmm ... interesting ... interesting. ... I'd say we taste a little like chicken."

JUNE 1997

S	M	T	W	T	F	S
1	2	3	4	5	6	7
8	9	10	11	12	13	14
15	16	17	18	19	20	21
22	23	24	25	26	27	28
29	30					

Monday

2

Tuesday

3

Wednesday

4

Thursday

5

Friday

6

Saturday

7

Sunday

8

May

S	M	T	W	T	F	S
				1	2	3
4	5	6	7	8	9	10
11	12	13	14	15	16	17
18	19	20	21	22	23	24
25	26	27	28	29	30	31

July

S	M	T	W	T	F	S
		1	2	3	4	5
6	7	8	9	10	11	12
13	14	15	16	17	18	19
20	21	22	23	24	25	26
27	28	29	30	31		

NOTES

"Oh, for heaven's sake! Your father left in such a hurry this morning he's lost another antenna."

JUNE 1997

S	M	T	W	T	F	S
1	2	3	4	5	6	7
8	9	10	11	12	13	14
15	16	17	18	19	20	21
22	23	24	25	26	27	28
29	30					

Monday

9

Tuesday

10

Wednesday

11

Thursday

12

Friday

13

Saturday

14

FLAG DAY

Sunday

15

FATHER'S DAY

May

S	M	T	W	T	F	S
				1	2	3
4	5	6	7	8	9	10
11	12	13	14	15	16	17
18	19	20	21	22	23	24
25	26	27	28	29	30	31

July

S	M	T	W	T	F	S
		1	2	3	4	5
6	7	8	9	10	11	12
13	14	15	16	17	18	19
20	21	22	23	24	25	26
27	28	29	30	31		

NOTES

"Now calm down, Barbara. ... We haven't looked everywhere yet, and an elephant can't hide forever."

JUNE 1997

S	M	T	W	T	F	S
1	2	3	4	5	6	7
8	9	10	11	12	13	14
15	16	17	18	19	20	21
22	23	24	25	26	27	28
29	30					

Monday

16

Tuesday

17

Wednesday

18

Thursday

19

Friday

20

Saturday

21

Sunday

22

May

S	M	T	W	T	F	S
				1	2	3
4	5	6	7	8	9	10
11	12	13	14	15	16	17
18	19	20	21	22	23	24
25	26	27	28	29	30	31

July

S	M	T	W	T	F	S
		1	2	3	4	5
6	7	8	9	10	11	12
13	14	15	16	17	18	19
20	21	22	23	24	25	26
27	28	29	30	31		

NOTES

Hell's library

JUNE 1997

S	M	T	W	T	F	S
1	2	3	4	5	6	7
8	9	10	11	12	13	14
15	16	17	18	19	20	21
22	23	24	25	26	27	28
29	30					

Monday

23

Tuesday

24

Wednesday

25

Thursday

26

Friday

27

Saturday

28

Sunday

29

May

S	M	T	W	T	F	S
				1	2	3
4	5	6	7	8	9	10
11	12	13	14	15	16	17
18	19	20	21	22	23	24
25	26	27	28	29	30	31

July

S	M	T	W	T	F	S
		1	2	3	4	5
6	7	8	9	10	11	12
13	14	15	16	17	18	19
20	21	22	23	24	25	26
27	28	29	30	31		

NOTES

"Bootsy! ... Boooooooootsy! ... We are calling you from the world of the living! ... Are you there, Bootsy? Give us a sign, Bootsy! Give us a sign!"

JUNE/JULY 1997

S	M	T	W	T	F	S
1	2	3	4	5	6	7
8	9	10	11	12	13	14
15	16	17	18	19	20	21
22	23	24	25	26	27	28
29	30					

Monday

30

Tuesday

1

CANADA DAY

Wednesday

2

Thursday

3

Friday

4

INDEPENDENCE DAY

Saturday

5

Sunday

6

May

S	M	T	W	T	F	S
				1	2	3
4	5	6	7	8	9	10
11	12	13	14	15	16	17
18	19	20	21	22	23	24
25	26	27	28	29	30	31

July

S	M	T	W	T	F	S
		1	2	3	4	5
6	7	8	9	10	11	12
13	14	15	16	17	18	19
20	21	22	23	24	25	26
27	28	29	30	31		

NOTES

"Sorry, kids—they've got cable, but no pond."

July 1997

S	M	T	W	T	F	S
		1	2	3	4	5
6	7	8	9	10	11	12
13	14	15	16	17	18	19
20	21	22	23	24	25	26
27	28	29	30	31		

Monday

7

Tuesday

8

Wednesday

9

Thursday

10

Friday

11

Saturday

12

Sunday

13

June

S	M	T	W	T	F	S
1	2	3	4	5	6	7
8	9	10	11	12	13	14
15	16	17	18	19	20	21
22	23	24	25	26	27	28
29	30					

August

S	M	T	W	T	F	S
					1	2
3	4	5	6	7	8	9
10	11	12	13	14	15	16
17	18	19	20	21	22	23
24	25	26	27	28	29	30
31						

NOTES

Ginger decides to take out Mrs. Talbot's flower bed once and for all.

July 1997

S	M	T	W	T	F	S
		1	2	3	4	5
6	7	8	9	10	11	12
13	14	15	16	17	18	19
20	21	22	23	24	25	26
27	28	29	30	31		

Monday
14

Tuesday
15

Wednesday
16

Thursday
17

Friday
18

Saturday
19

Sunday
20

June

S	M	T	W	T	F	S
1	2	3	4	5	6	7
8	9	10	11	12	13	14
15	16	17	18	19	20	21
22	23	24	25	26	27	28
29	30					

August

S	M	T	W	T	F	S
					1	2
3	4	5	6	7	8	9
10	11	12	13	14	15	16
17	18	19	20	21	22	23
24	25	26	27	28	29	30
31						

NOTES

"It's the only way to go, Frank. Why, my life's changed, ever since I discovered Stackable Livestock®."

JULY 1997

S	M	T	W	T	F	S
		1	2	3	4	5
6	7	8	9	10	11	12
13	14	15	16	17	18	19
20	21	22	23	24	25	26
27	28	29	30	31		

Monday

21

Tuesday

22

Wednesday

23

Thursday

24 Dow audit

Friday

25

Saturday

26

Sunday

27

June

S	M	T	W	T	F	S
1	2	3	4	5	6	7
8	9	10	11	12	13	14
15	16	17	18	19	20	21
22	23	24	25	26	27	28
29	30					

August

S	M	T	W	T	F	S
					1	2
3	4	5	6	7	8	9
10	11	12	13	14	15	16
17	18	19	20	21	22	23
24	25	26	27	28	29	30
31						

NOTES

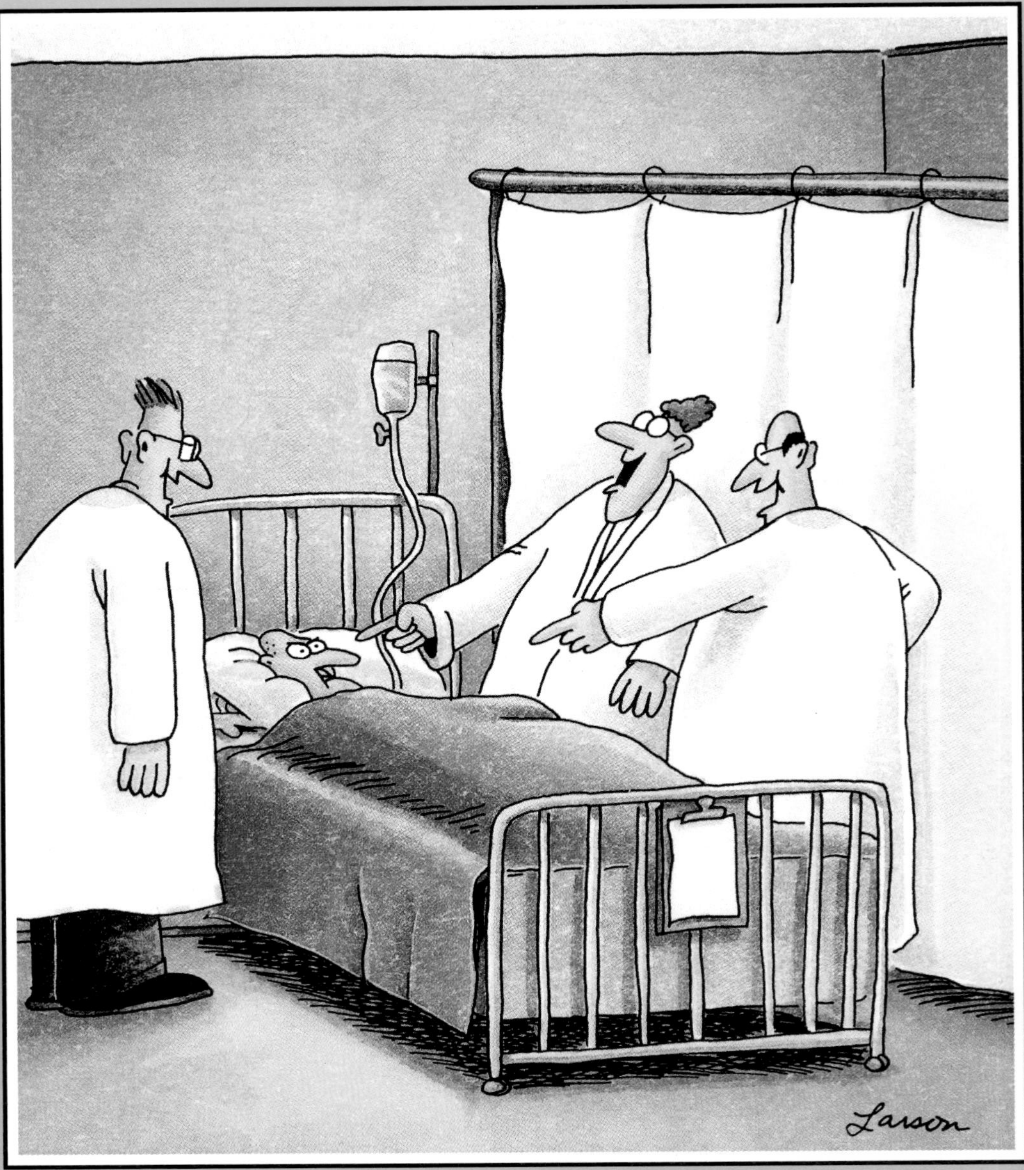

Testing whether laughter *is* the best medicine.

JULY/AUG 1997

S	M	T	W	T	F	S
		1	2	3	4	5
6	7	8	9	10	11	12
13	14	15	16	17	18	19
20	21	22	23	24	25	26
27	28	29	30	31		

Monday

28

10 – Janos Sawyer

Tuesday

29

LiOH Howard

Wednesday

30

Thursday

31

LiOH Due

Friday

1

Pat Round Due

Saturday

2

Sunday

3

June

S	M	T	W	T	F	S
1	2	3	4	5	6	7
8	9	10	11	12	13	14
15	16	17	18	19	20	21
22	23	24	25	26	27	28
29	30					

August

S	M	T	W	T	F	S
					1	2
3	4	5	6	7	8	9
10	11	12	13	14	15	16
17	18	19	20	21	22	23
24	25	26	27	28	29	30
31						

NOTES

Check their papers-- they're probably forged!
They'll scratch the furniture...And they'll transmit ringworm!
Larson

August 1997

S	M	T	W	T	F	S
					1	2
3	4	5	6	7	8	9
10	11	12	13	14	15	16
17	18	19	20	21	22	23
24	25	26	27	28	29	30
31						

Monday

4

Tuesday

5

Wednesday

6

Thursday

7

Friday

8

Saturday

9

Sunday

10

July

S	M	T	W	T	F	S
		1	2	3	4	5
6	7	8	9	10	11	12
13	14	15	16	17	18	19
20	21	22	23	24	25	26
27	28	29	30	31		

September

S	M	T	W	T	F	S
	1	2	3	4	5	6
7	8	9	10	11	12	13
14	15	16	17	18	19	20
21	22	23	24	25	26	27
28	29	30				

NOTES

"OK, let's take a look at you."

August 1997

S	M	T	W	T	F	S
					1	2
3	4	5	6	7	8	9
10	11	12	13	14	15	16
17	18	19	20	21	22	23
24	25	26	27	28	29	30
31						

Monday
11

Tuesday
12

Wednesday
13

Thursday
14

Friday
15

Pica - Fe

Saturday
16

Sunday
17

July

S	M	T	W	T	F	S
		1	2	3	4	5
6	7	8	9	10	11	12
13	14	15	16	17	18	19
20	21	22	23	24	25	26
27	28	29	30	31		

September

S	M	T	W	T	F	S
	1	2	3	4	5	6
7	8	9	10	11	12	13
14	15	16	17	18	19	20
21	22	23	24	25	26	27
28	29	30				

NOTES

"Whoa! Mr. Lewis! We don't know what that thing is or where it came from, but after what happened to the dog last week, we advise people not to touch it."

August 1997

S	M	T	W	T	F	S
					1	2
3	4	5	6	7	8	9
10	11	12	13	14	15	16
17	18	19	20	21	22	23
24	25	26	27	28	29	30
31						

Monday

18

Tuesday

19 call williams

Wednesday

20

06843 Pica
LiOH (2)

Thursday

21

~~06843~~ Pica
burn - williams
Betx 2:00pm

LiOH (- ? ——)

Friday

22

Saturday

23

Sunday

24

July

S	M	T	W	T	F	S
		1	2	3	4	5
6	7	8	9	10	11	12
13	14	15	16	17	18	19
20	21	22	23	24	25	26
27	28	29	30	31		

September

S	M	T	W	T	F	S
	1	2	3	4	5	6
7	8	9	10	11	12	13
14	15	16	17	18	19	20
21	22	23	24	25	26	27
28	29	30				

NOTES

Disaster befalls Professor Schnabel's cleaning lady when she mistakes his time machine for a new dryer.

August 1997

S	M	T	W	T	F	S
					1	2
3	4	5	6	7	8	9
10	11	12	13	14	15	16
17	18	19	20	21	22	23
24	25	26	27	28	29	30
31						

Monday
25

Tuesday
26

Tara ½

Wednesday
27

Pom candles

Thursday
28

Friday
29

Saturday
30

Sunday
31

July

S	M	T	W	T	F	S
		1	2	3	4	5
6	7	8	9	10	11	12
13	14	15	16	17	18	19
20	21	22	23	24	25	26
27	28	29	30	31		

September

S	M	T	W	T	F	S
	1	2	3	4	5	6
7	8	9	10	11	12	13
14	15	16	17	18	19	20
21	22	23	24	25	26	27
28	29	30				

NOTES

“He’s making his nest now. ...There! See it? That son-of-a- ...
he’s got himself a futon!”

September 1997

S	M	T	W	T	F	S
	1	2	3	4	5	6
7	8	9	10	11	12	13
14	15	16	17	18	19	20
21	22	23	24	25	26	27
28	29	30				

Monday

1

LABOR DAY

Tuesday

2

Wednesday

3

~~Bob Williams~~

~~1:30~~

Thursday

4

Bob Williams

2:00

Friday

5

Saturday

6

Sunday

7

August

S	M	T	W	T	F	S
					1	2
3	4	5	6	7	8	9
10	11	12	13	14	15	16
17	18	19	20	21	22	23
24	25	26	27	28	29	30
31						

October

S	M	T	W	T	F	S
			1	2	3	4
5	6	7	8	9	10	11
12	13	14	15	16	17	18
19	20	21	22	23	24	25
26	27	28	29	30	31	

NOTES

And then the bovine watchers were given a *real* treat. On a small knoll, in full splendor, there suddenly appeared a Guatemalan cow of paradise.

September 1997

S	M	T	W	T	F	S
	1	2	3	4	5	6
7	8	9	10	11	12	13
14	15	16	17	18	19	20
21	22	23	24	25	26	27
28	29	30				

Monday

8

Tuesday

9

Wednesday

10

Thursday

11

Friday

12

~~2:00~~
1530 Bob William

Saturday

13

Sunday

14

August

S	M	T	W	T	F	S
					1	2
3	4	5	6	7	8	9
10	11	12	13	14	15	16
17	18	19	20	21	22	23
24	25	26	27	28	29	30
31						

October

S	M	T	W	T	F	S
			1	2	3	4
5	6	7	8	9	10	11
12	13	14	15	16	17	18
19	20	21	22	23	24	25
26	27	28	29	30	31	

NOTES

Hank knew this place well. He need only wait. ...The deer would come, the deer would come.

SEPTEMBER 1997

S	M	T	W	T	F	S
	1	2	3	4	5	6
7	8	9	10	11	12	13
14	15	16	17	18	19	20
21	22	23	24	25	26	27
28	29	30				

Si
S.P

Monday

15 Joes last day

pam (vac)

Tuesday

16

Wednesday

17

Thursday

18

330 - 4:00 / charlie fisher

Friday

19

J C Penny } Novus
Ron Bean }

Saturday

20

Sunday

21

August

S	M	T	W	T	F	S
					1	2
3	4	5	6	7	8	9
10	11	12	13	14	15	16
17	18	19	20	21	22	23
24	25	26	27	28	29	30
31						

October

S	M	T	W	T	F	S
			1	2	3	4
5	6	7	8	9	10	11
12	13	14	15	16	17	18
19	20	21	22	23	24	25
26	27	28	29	30	31	

NOTES

"Oh! *Four* steps to the left and *then* three to the right! ... What kind of a dance was *I* doing?"

SEPTEMBER 1997

S	M	T	W	T	F	S
	1	2	3	4	5	6
7	8	9	10	11	12	13
14	15	16	17	18	19	20
21	22	23	24	25	26	27
28	29	30				

Monday
22

Bob's report

Tuesday
23

Wednesday
24

Thursday
25

Friday
26

755-3066

Saturday
27

Sunday
28

August

S	M	T	W	T	F	S
					1	2
3	4	5	6	7	8	9
10	11	12	13	14	15	16
17	18	19	20	21	22	23
24	25	26	27	28	29	30
31						

October

S	M	T	W	T	F	S
			1	2	3	4
5	6	7	8	9	10	11
12	13	14	15	16	17	18
19	20	21	22	23	24	25
26	27	28	29	30	31	

NOTES

"Henry! Hurry or you're gonna miss it—ghost riders in the kitchen!"

SEPT/OCT 1997

S	M	T	W	T	F	S
	1	2	3	4	5	6
7	8	9	10	11	12	13
14	15	16	17	18	19	20
21	22	23	24	25	26	27
28	29	30				

Monday
29

Tuesday
30

Wednesday
1

Thursday
2

ROSH HASHANAH

Friday
3

Saturday
4

Sunday
5

August

S	M	T	W	T	F	S
					1	2
3	4	5	6	7	8	9
10	11	12	13	14	15	16
17	18	19	20	21	22	23
24	25	26	27	28	29	30
31						

October

S	M	T	W	T	F	S
			1	2	3	4
5	6	7	8	9	10	11
12	13	14	15	16	17	18
19	20	21	22	23	24	25
26	27	28	29	30	31	

NOTES

"Now watch your step, Osborne. ...The Squiggly Line people have an inherent distrust for all smoothliners."

OCTOBER
1997

S	M	T	W	T	F	S
			1	2	3	4
5	6	7	8	9	10	11
12	13	14	15	16	17	18
19	20	21	22	23	24	25
26	27	28	29	30	31	

Monday
6

Pam sick

Tuesday
7

Wednesday
8

Thursday
9

Friday
10

~~Jennifer~~ last day

Saturday
11

YOM KIPPUR

Sunday
12

September

S	M	T	W	T	F	S
	1	2	3	4	5	6
7	8	9	10	11	12	13
14	15	16	17	18	19	20
21	22	23	24	25	26	27
28	29	30				

November

S	M	T	W	T	F	S
						1
2	3	4	5	6	7	8
9	10	11	12	13	14	15
16	17	18	19	20	21	22
23	24	25	26	27	28	29
30						

NOTES

Circa 1500 A.D.: Horses are introduced to America.

OCTOBER 1997

S	M	T	W	T	F	S
			1	2	3	4
5	6	7	8	9	10	11
12	13	14	15	16	17	18
19	20	21	22	23	24	25
26	27	28	29	30	31	

Monday

13

COLUMBUS DAY
CANADIAN THANKSGIVING

Tuesday

14 CEM 9:00

Wednesday

15

Thursday

16

Friday

17

Saturday

18

Sunday

19

September

S	M	T	W	T	F	S
	1	2	3	4	5	6
7	8	9	10	11	12	13
14	15	16	17	18	19	20
21	22	23	24	25	26	27
28	29	30				

November

S	M	T	W	T	F	S
						1
2	3	4	5	6	7	8
9	10	11	12	13	14	15
16	17	18	19	20	21	22
23	24	25	26	27	28	29
30						

NOTES

Cheetah wheelies

OCTOBER 1997

S	M	T	W	T	F	S
			1	2	3	4
5	6	7	8	9	10	11
12	13	14	15	16	17	18
19	20	21	22	23	24	25
26	27	28	29	30	31	

Monday
20

Tuesday
21

10:30 Bob Williams

Wednesday
22

Thursday
23

Friday
24

Tara - Pam -
candle lunch

Saturday
25

Sunday
26

September

S	M	T	W	T	F	S
	1	2	3	4	5	6
7	8	9	10	11	12	13
14	15	16	17	18	19	20
21	22	23	24	25	26	27
28	29	30				

November

S	M	T	W	T	F	S
						1
2	3	4	5	6	7	8
9	10	11	12	13	14	15
16	17	18	19	20	21	22
23	24	25	26	27	28	29
30						

NOTES

"And then one of the little kids shined his flashlight into the corner of the basement, and there they saw these strange jars. ... Some said 'creamy,' some said 'crunchy'..."

OCT/NOV 1997

S	M	T	W	T	F	S
			1	2	3	4
5	6	7	8	9	10	11
12	13	14	15	16	17	18
19	20	21	22	23	24	25
26	27	28	29	30	31	

steven stone
Lawyer

Monday

27 (Possible Trial date Bob williams)

Trial →

Tuesday

28

Wednesday

29

Thursday

30 9:00 40K

waters call #
133469

Friday

31

HALLOWEEN

Saturday

1

Sunday

2

September

S	M	T	W	T	F	S
	1	2	3	4	5	6
7	8	9	10	11	12	13
14	15	16	17	18	19	20
21	22	23	24	25	26	27
28	29	30				

November

S	M	T	W	T	F	S
						1
2	3	4	5	6	7	8
9	10	11	12	13	14	15
16	17	18	19	20	21	22
23	24	25	26	27	28	29
30						

NOTES

NOVEMBER 1997

S	M	T	W	T	F	S
						1
2	3	4	5	6	7	8
9	10	11	12	13	14	15
16	17	18	19	20	21	22
23	24	25	26	27	28	29
30						

Monday

3

Elizabeth leave early 2:30

Pat Due

Tuesday

4

ELECTION DAY

Wednesday

5 Elizabeth

2:00?

Thursday

6

Marty – Lunch

Friday

7

Saturday

8

Sunday

9

October

S	M	T	W	T	F	S
			1	2	3	4
5	6	7	8	9	10	11
12	13	14	15	16	17	18
19	20	21	22	23	24	25
26	27	28	29	30	31	

December

S	M	T	W	T	F	S
	1	2	3	4	5	6
7	8	9	10	11	12	13
14	15	16	17	18	19	20
21	22	23	24	25	26	27
28	29	30	31			

NOTES

The Vikings, of course, knew the importance of stretching before an attack.

NOVEMBER 1997

S	M	T	W	T	F	S
						1
2	3	4	5	6	7	8
9	10	11	12	13	14	15
16	17	18	19	20	21	22
23	24	25	26	27	28	29
30						

Monday

10

Tuesday

11

Pam vac

VETERANS' DAY
REMEMBRANCE DAY
(CANADA)

Wednesday

12

Franklin report

Thursday

13

Pam Vac (1/2)

Friday

14

Birthday?
Pam (VAC)
Jennifer (VAC)

Saturday

15

Sunday

16

October

S	M	T	W	T	F	S
			1	2	3	4
5	6	7	8	9	10	11
12	13	14	15	16	17	18
19	20	21	22	23	24	25
26	27	28	29	30	31	

December

S	M	T	W	T	F	S
	1	2	3	4	5	6
7	8	9	10	11	12	13
14	15	16	17	18	19	20
21	22	23	24	25	26	27
28	29	30	31			

NOTES

"Vernon! That light! ... The Jeffersons' dog is back!"

November 1997

S	M	T	W	T	F	S
						1
2	3	4	5	6	7	8
9	10	11	12	13	14	15
16	17	18	19	20	21	22
23	24	25	26	27	28	29
30						

Monday

17

Tuesday

18

Wednesday

19

~~10:00~~ Jeff
1:00 Smith

Thursday

20

Friday

21

Saturday

22

Sunday

23

October

S	M	T	W	T	F	S
			1	2	3	4
5	6	7	8	9	10	11
12	13	14	15	16	17	18
19	20	21	22	23	24	25
26	27	28	29	30	31	

December

S	M	T	W	T	F	S
	1	2	3	4	5	6
7	8	9	10	11	12	13
14	15	16	17	18	19	20
21	22	23	24	25	26	27
28	29	30	31			

NOTES

"I just *can't* go in there, Bart! ... Some fellow in there and I are wearing the same kind of hat!"

November 1997

S	M	T	W	T	F	S
						1
2	3	4	5	6	7	8
9	10	11	12	13	14	15
16	17	18	19	20	21	22
23	24	25	26	27	28	29
30						

Monday

24

Tuesday

25

Wednesday

26

Thursday

27

THANKSGIVING

Friday

28

Saturday

29

Sunday

30

October

S	M	T	W	T	F	S
			1	2	3	4
5	6	7	8	9	10	11
12	13	14	15	16	17	18
19	20	21	22	23	24	25
26	27	28	29	30	31	

December

S	M	T	W	T	F	S
	1	2	3	4	5	6
7	8	9	10	11	12	13
14	15	16	17	18	19	20
21	22	23	24	25	26	27
28	29	30	31			

NOTES

"Dang! Get my shotgun, Mama! The aliens are after the chickens again."

DECEMBER 1997

S	M	T	W	T	F	S
	1	2	3	4	5	6
7	8	9	10	11	12	13
14	15	16	17	18	19	20
21	22	23	24	25	26	27
28	29	30	31			

Monday

1

Tuesday

2

Wednesday

3

Thursday

4

Friday

5

Saturday

6

Sunday

7

November

S	M	T	W	T	F	S
						1
2	3	4	5	6	7	8
9	10	11	12	13	14	15
16	17	18	19	20	21	22
23	24	25	26	27	28	29
30						

January

S	M	T	W	T	F	S
				1	2	3
4	5	6	7	8	9	10
11	12	13	14	15	16	17
18	19	20	21	22	23	24
25	26	27	28	29	30	31

NOTES

"Here's the last entry in Carlson's journal: Having won their confidence, tomorrow I shall test the humor of these giant but gentle primates with a simple joy-buzzer handshake."

December 1997

S	M	T	W	T	F	S
	1	2	3	4	5	6
7	8	9	10	11	12	13
14	15	16	17	18	19	20
21	22	23	24	25	26	27
28	29	30	31			

Monday

8

Tuesday

9

Wednesday

10

Thursday

11

Friday

12

Saturday

13

Sunday

14

November

S	M	T	W	T	F	S
						1
2	3	4	5	6	7	8
9	10	11	12	13	14	15
16	17	18	19	20	21	22
23	24	25	26	27	28	29
30						

January

S	M	T	W	T	F	S
				1	2	3
4	5	6	7	8	9	10
11	12	13	14	15	16	17
18	19	20	21	22	23	24
25	26	27	28	29	30	31

NOTES

"Hey, you stupid bovines! You'll never get that contraption off the ground! ... Think it'll run on hay? ... Say, maybe you'll make it to the mooooooooon! ..."

December 1997

S	M	T	W	T	F	S
	1	2	3	4	5	6
7	8	9	10	11	12	13
14	15	16	17	18	19	20
21	22	23	24	25	26	27
28	29	30	31			

Monday

15

Tuesday

16

Wednesday

17

Thursday

18

Friday

19

Saturday

20

Sunday

21

November

S	M	T	W	T	F	S
						1
2	3	4	5	6	7	8
9	10	11	12	13	14	15
16	17	18	19	20	21	22
23	24	25	26	27	28	29
30						

January

S	M	T	W	T	F	S
				1	2	3
4	5	6	7	8	9	10
11	12	13	14	15	16	17
18	19	20	21	22	23	24
25	26	27	28	29	30	31

NOTES

"Guess what, Frank? ... Santa says I'm his little helper."

DECEMBER 1997

S	M	T	W	T	F	S
	1	2	3	4	5	6
7	8	9	10	11	12	13
14	15	16	17	18	19	20
21	22	23	24	25	26	27
28	29	30	31			

Monday

22

Tuesday

23

Wednesday

24

HANUKKAH

Thursday

25

CHRISTMAS

Friday

26

BOXING DAY
(CANADA)

Saturday

27

Sunday

28

November

S	M	T	W	T	F	S
						1
2	3	4	5	6	7	8
9	10	11	12	13	14	15
16	17	18	19	20	21	22
23	24	25	26	27	28	29
30						

January

S	M	T	W	T	F	S
				1	2	3
4	5	6	7	8	9	10
11	12	13	14	15	16	17
18	19	20	21	22	23	24
25	26	27	28	29	30	31

NOTES

"This is it, Jenkins. ... Indisputable proof that the Ice Age caught these people completely off guard."

DEC/JAN 1997

S	M	T	W	T	F	S
	1	2	3	4	5	6
7	8	9	10	11	12	13
14	15	16	17	18	19	20
21	22	23	24	25	26	27
28	29	30	31			

Monday

29

Tuesday

30

Wednesday

31

Thursday

1

NEW YEAR'S DAY

Friday

2

Saturday

3

Sunday

4

November

S	M	T	W	T	F	S
						1
2	3	4	5	6	7	8
9	10	11	12	13	14	15
16	17	18	19	20	21	22
23	24	25	26	27	28	29
30						

January

S	M	T	W	T	F	S
				1	2	3
4	5	6	7	8	9	10
11	12	13	14	15	16	17
18	19	20	21	22	23	24
25	26	27	28	29	30	31

JANUARY
1998

FEBRUARY
1998

MARCH
1998

APRIL 1998

MAY 1998

JUNE 1998

JULY
1998

AUGUST
1998

SEPTEMBER
1998

OCTOBER
1998

NOVEMBER
1998

DECEMBER
1998

January '96

S	M	T	W	T	F	S
	1	2	3	4	5	6
7	8	9	10	11	12	13
14	15	16	17	18	19	20
21	22	23	24	25	26	27
28	29	30	31			

February '96

S	M	T	W	T	F	S
				1	2	3
4	5	6	7	8	9	10
11	12	13	14	15	16	17
18	19	20	21	22	23	24
25	26	27	28	29		

March '96

S	M	T	W	T	F	S
					1	2
3	4	5	6	7	8	9
10	11	12	13	14	15	16
17	18	19	20	21	22	23
24	25	26	27	28	29	30
31						

April '96

S	M	T	W	T	F	S
	1	2	3	4	5	6
7	8	9	10	11	12	13
14	15	16	17	18	19	20
21	22	23	24	25	26	27
28	29	30				

May '96

S	M	T	W	T	F	S
			1	2	3	4
5	6	7	8	9	10	11
12	13	14	15	16	17	18
19	20	21	22	23	24	25
26	27	28	29	30	31	

June '96

S	M	T	W	T	F	S
						1
2	3	4	5	6	7	8
9	10	11	12	13	14	15
16	17	18	19	20	21	22
23	24	25	26	27	28	29
30						

July '96

S	M	T	W	T	F	S
	1	2	3	4	5	6
7	8	9	10	11	12	13
14	15	16	17	18	19	20
21	22	23	24	25	26	27
28	29	30	31			

August '96

S	M	T	W	T	F	S
				1	2	3
4	5	6	7	8	9	10
11	12	13	14	15	16	17
18	19	20	21	22	23	24
25	26	27	28	29	30	31

September '96

S	M	T	W	T	F	S
1	2	3	4	5	6	7
8	9	10	11	12	13	14
15	16	17	18	19	20	21
22	23	24	25	26	27	28
29	30					

October '96

S	M	T	W	T	F	S
		1	2	3	4	5
6	7	8	9	10	11	12
13	14	15	16	17	18	19
20	21	22	23	24	25	26
27	28	29	30	31		

November '96

S	M	T	W	T	F	S
					1	2
3	4	5	6	7	8	9
10	11	12	13	14	15	16
17	18	19	20	21	22	23
24	25	26	27	28	29	30

December '96

S	M	T	W	T	F	S
1	2	3	4	5	6	7
8	9	10	11	12	13	14
15	16	17	18	19	20	21
22	23	24	25	26	27	28
29	30	31				

January '98

S	M	T	W	T	F	S
				1	2	3
4	5	6	7	8	9	10
11	12	13	14	15	16	17
18	19	20	21	22	23	24
25	26	27	28	29	30	31

February '98

S	M	T	W	T	F	S
1	2	3	4	5	6	7
8	9	10	11	12	13	14
15	16	17	18	19	20	21
22	23	24	25	26	27	28

March '98

S	M	T	W	T	F	S
1	2	3	4	5	6	7
8	9	10	11	12	13	14
15	16	17	18	19	20	21
22	23	24	25	26	27	28
29	30	31				

April '98

S	M	T	W	T	F	S
			1	2	3	4
5	6	7	8	9	10	11
12	13	14	15	16	17	18
19	20	21	22	23	24	25
26	27	28	29	30		

May '98

S	M	T	W	T	F	S
					1	2
3	4	5	6	7	8	9
10	11	12	13	14	15	16
17	18	19	20	21	22	23
24	25	26	27	28	29	30
31						

June '98

S	M	T	W	T	F	S
	1	2	3	4	5	6
7	8	9	10	11	12	13
14	15	16	17	18	19	20
21	22	23	24	25	26	27
28	29	30				

July '98

S	M	T	W	T	F	S
			1	2	3	4
5	6	7	8	9	10	11
12	13	14	15	16	17	18
19	20	21	22	23	24	25
26	27	28	29	30	31	

August '98

S	M	T	W	T	F	S
						1
2	3	4	5	6	7	8
9	10	11	12	13	14	15
16	17	18	19	20	21	22
23	24	25	26	27	28	29
30	31					

September '98

S	M	T	W	T	F	S
		1	2	3	4	5
6	7	8	9	10	11	12
13	14	15	16	17	18	19
20	21	22	23	24	25	26
27	28	29	30			

October '98

S	M	T	W	T	F	S
				1	2	3
4	5	6	7	8	9	10
11	12	13	14	15	16	17
18	19	20	21	22	23	24
25	26	27	28	29	30	31

November '98

S	M	T	W	T	F	S
1	2	3	4	5	6	7
8	9	10	11	12	13	14
15	16	17	18	19	20	21
22	23	24	25	26	27	28
29	30					

December '98

S	M	T	W	T	F	S
		1	2	3	4	5
6	7	8	9	10	11	12
13	14	15	16	17	18	19
20	21	22	23	24	25	26
27	28	29	30	31		

January '97

S	M	T	W	T	F	S
			1	2	3	4
5	6	7	8	9	10	11
12	13	14	15	16	17	18
19	20	21	22	23	24	25
26	27	28	29	30	31	

February '97

S	M	T	W	T	F	S
						1
2	3	4	5	6	7	8
9	10	11	12	13	14	15
16	17	18	19	20	21	22
23	24	25	26	27	28	

March '97

S	M	T	W	T	F	S
						1
2	3	4	5	6	7	8
9	10	11	12	13	14	15
16	17	18	19	20	21	22
23	24	25	26	27	28	29
30	31					

April '97

S	M	T	W	T	F	S
		1	2	3	4	5
6	7	8	9	10	11	12
13	14	15	16	17	18	19
20	21	22	23	24	25	26
27	28	29	30			

May '97

S	M	T	W	T	F	S
				1	2	3
4	5	6	7	8	9	10
11	12	13	14	15	16	17
18	19	20	21	22	23	24
25	26	27	28	29	30	31

June '97

S	M	T	W	T	F	S
1	2	3	4	5	6	7
8	9	10	11	12	13	14
15	16	17	18	19	20	21
22	23	24	25	26	27	28
29	30					

July '97

S	M	T	W	T	F	S
		1	2	3	4	5
6	7	8	9	10	11	12
13	14	15	16	17	18	19
20	21	22	23	24	25	26
27	28	29	30	31		

August '97

S	M	T	W	T	F	S
					1	2
3	4	5	6	7	8	9
10	11	12	13	14	15	16
17	18	19	20	21	22	23
24	25	26	27	28	29	30
31						

September '97

S	M	T	W	T	F	S
	1	2	3	4	5	6
7	8	9	10	11	12	13
14	15	16	17	18	19	20
21	22	23	24	25	26	27
28	29	30				

October '97

S	M	T	W	T	F	S
			1	2	3	4
5	6	7	8	9	10	11
12	13	14	15	16	17	18
19	20	21	22	23	24	25
26	27	28	29	30	31	

November '97

S	M	T	W	T	F	S
						1
2	3	4	5	6	7	8
9	10	11	12	13	14	15
16	17	18	19	20	21	22
23	24	25	26	27	28	29
30						

December '97

S	M	T	W	T	F	S
	1	2	3	4	5	6
7	8	9	10	11	12	13
14	15	16	17	18	19	20
21	22	23	24	25	26	27
28	29	30	31			